My First

10

Latvian Words

ĢIMENE

Mamma

Mum

Tētis

Dad

Māsa

Sister

Brālis

Brother

ĢIMENE

Vecmamma

Grandma

Vectētiņš

Grandpa

Tante

Aunt

Tēvocis

Uncle

DABA

Debesis

Sky

Koks

Tree

Mēness

Moon

Jūra

Sea

THREE **NATURE** TRĪS

DZĪVNIEKI

Suns

Dog

Kaķis

Cat

Zirgs

Horse

Putns

Bird

DZĪVNIEKI

Trusis

Rabbit

Pērtiķis

Monkey

Lācis

Bear

Lapsa

Fox

DZĪVNIEKI

Zivs

Fish

Cūka

Pig

Lauva

Lion

Govs

Cow

DZERT

Ūdens

Water

Tēja

Tea

Piens

Milk

Kafija

Coffee

TO DRINK

ĒST

Vista

Chicken

Siers

Cheese

Maize

Bread

Vīnogas

Grapes

EIGHT TO EAT ASTOŅI

DĀRZEŅI

Burkāns

Carrot

Tomāts

Tomato

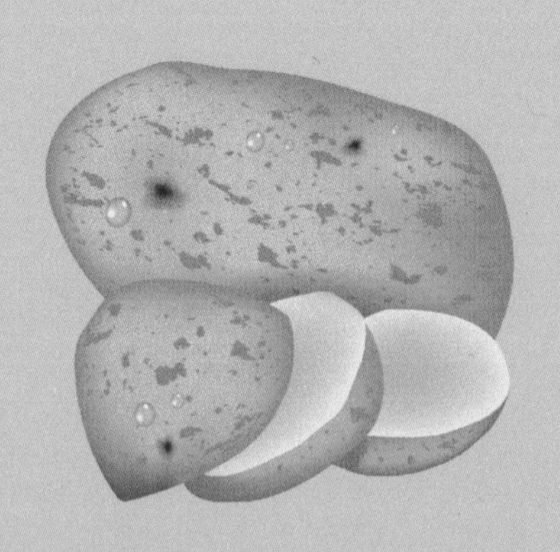

Kartupelis

Potato

Salāti

Salad

NINE **VEGETABLES** DEVIŅI

SALDAIS ĒDIENS

Šokolāde

Chocolate

Kūka

Cake

Konfektes

Candy

Saldējums

Ice Cream

TEN **DESSERTS** DESMIT

AUGĻI

Ābols

Apple

Banāns

Banana

Ķirsis

Cherry

Zemene

Strawberry

ĶERMENIS

Galva

Head

Roka

Hand

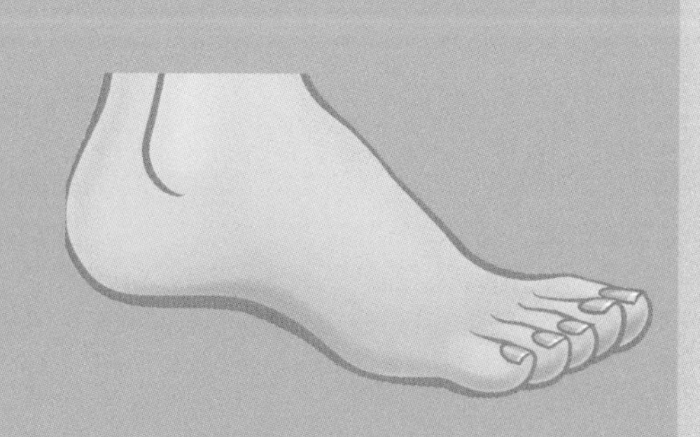

Pēda

Foot

Mati

Hair

ĶERMENIS

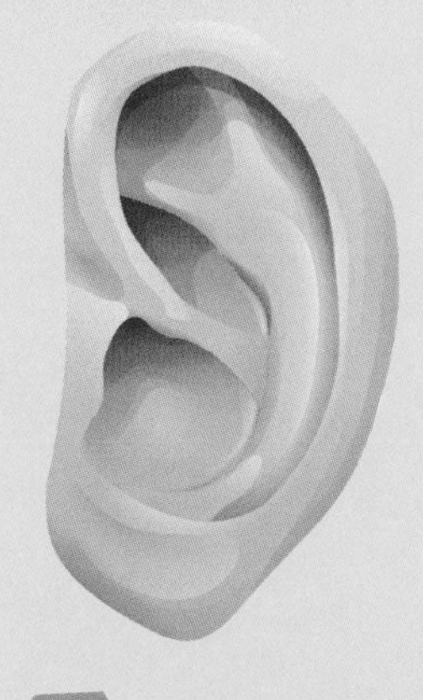

Auss

Ear

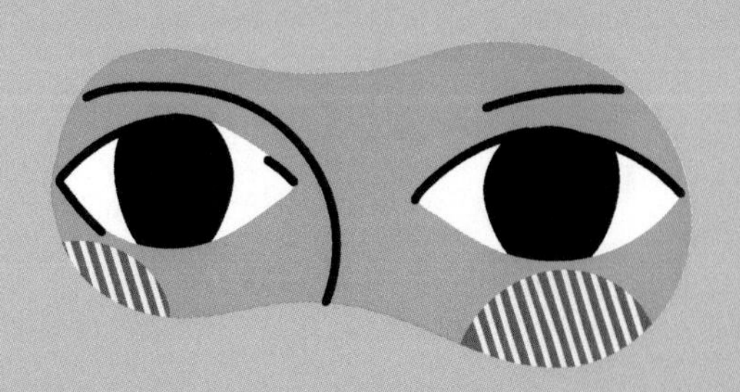

Acis

Eyes

Mute

Mouth

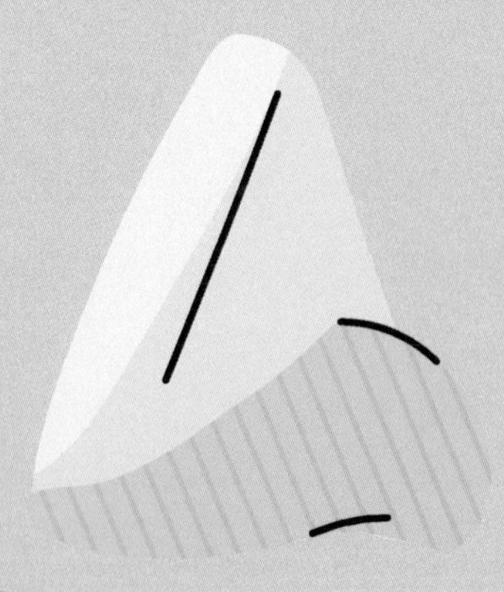

Deguns

Nose

THIRTEEN **BODY** TRĪSPADSMIT

KRĀSAS

Zils

Blue

Sarkans

Red

Dzeltens

Yellow

Zaļš

Green

MĀJAS

Dators

Computer

Telefons

Phone

Ledusskapis

Fridge

Televīzija

Television

MĀJAS

Logs

Window

Durvis

Door

Grāmata

Book

Ziedi

Flowers

MĀJAS

Gulta

Bed

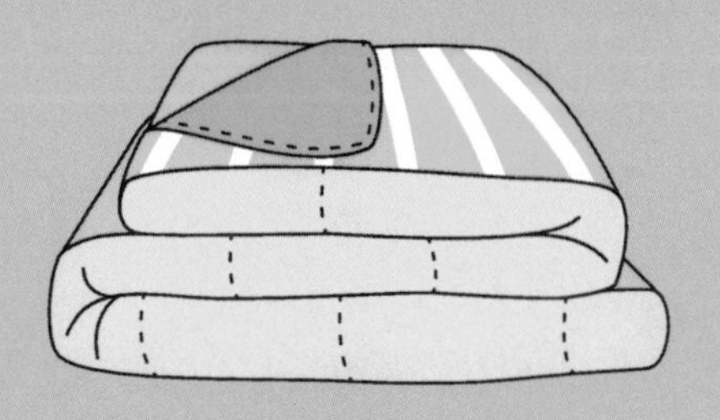

Sega

Blanket

Rotaļlietas

Toys

Lampa

Lamp

APĢĒRBS

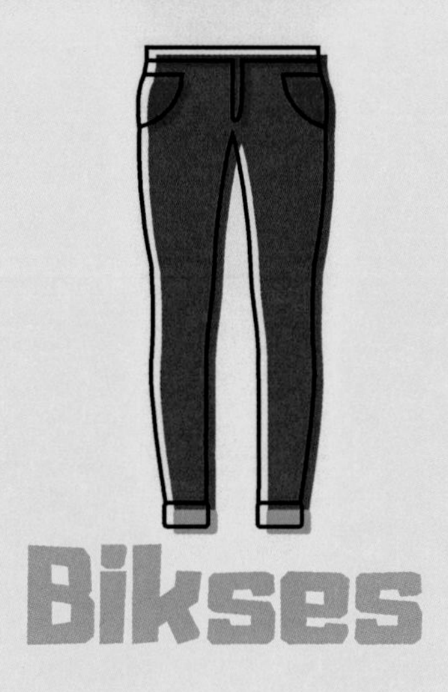

Bikses

Pants

Kleita

Dress

Krekls

Shirt

Kurpes

Shoes

ROTAĻLIETAS

Virtuve

Kitchen

Bumba

Ball

Velosipēds

Bicycle

Vilciens

Train

SKOLA

Skolotājs

Teacher

Draugi

Friends

Notebook

Zīmulis

Pencil

SCHOOL

DRAUGI

Spēlēt

To play

Dziedāt

To sing

Skriet

To run

Zīmēt

To draw

FRIENDS

DRAUGI

Parks

Park

Meitene

Girl

Zēns

Boy

Futbols

Football (soccer)

FRIENDS

DARBS

Pavārs

Cook

Policists

Policeman

Zemnieks

Farmer

Ārsts

Doctor

TRANSPORTLĪDZEKĻI

Automašīna

Car

Kravas automašīna

Truck

Lidmašīna

Plane

Laiva

Boat

VEHICLES

KUKAIŅI

Skudra

Ant

Bite

Bee

Tauriņš

Butterfly

Mārīte

Ladybug